U0065463

獻給有時候會嫉妒的小孩 —— 康娜莉雅・史貝蔓

獻給坦西，帶著許多的愛 —— 凱西・帕金森

我好嫉妒

文 康娜莉雅・史貝蔓　圖 凱西・帕金森　譯 蕭富元

親子天下

有時候我好嫉妒。

我覺得媽媽比較喜歡別人的時候，

我好嫉妒。

我的朋友常和別人玩在一起的時候，

我也好嫉妒。

我只准我的朋友最——喜——歡——我。

别人有我想要的東西，我好嫉妒。

我也想要！

別人把我想好好表現的事做得很好，

我也好嫉妒。

那我怎麼辦？

大家都在注意別人的時候，

我好嫉妒。

我也想要大家注意我。

嫉妒是刺刺的、熱熱的、很不舒服的感覺。

我不喜歡這種感覺，可是——

每個人都會嫉妒。

小孩會嫉妒。

大ㄉㄚˋ人ㄖㄣˊ會ㄏㄨㄟˋ嫉ㄐㄧˊ妒ㄉㄨˋ。

甚至寵物也會。

嫉妒的時候，我會想辦法讓自己好過一點。
我可以把嫉妒的感覺告訴別人。
要是有人願意聽我說話，
我會覺得好過一些。當別人告訴我，
他們也會嫉妒，我就會覺得好多了。

嫉妒的時候，我可以告訴別人我的需要。

我會說：「請陪陪我！」

我需要知道我對他們很重要。

只要他們有空，他們就會多注意我。

但是，我可能要等一等。

有時候， 我可能得去做點別的事。

過了一會兒，我就會覺得好多了。

就算別人得到很棒的東西，

我也會很高興。

我不去想別人有什麼、他們會做什麼。

我只想自己有什麼、會做什麼。

嫉ㄐㄧˊ妒ㄉㄨˋ的˙ㄉㄜ感ㄍㄢˇ覺ㄐㄩㄝˊ不ㄅㄨˊ見ㄐㄧㄢˋ了˙ㄌㄜ，

我ㄨㄛˇ又ㄧㄡˋ能ㄋㄥˊ開ㄎㄞ開ㄎㄞ心ㄒㄧㄣ心ㄒㄧㄣ了˙ㄌㄜ。

下次嫉妒再來找我的時候，

我知道它不會一直在我身邊。

Sometimes I feel jealous.

I feel jealous when I think my mommy likes someone else better than me

or when my friend plays with someone else more than she plays with me.

I want my friend to like me best!

When someone has something I want,
I feel jealous.
I want it, too!

I feel jealous when someone is good at something I want to be good at.
What about me?

When someone else gets all the attention,
I feel jealous.

I want some attention, too.

情緒的學習是一生的功課，趁早開始吧！

周育如 清華大學幼教系副教授

在幼兒發展的領域中，情緒發展是個很特別的領域，它雖然也有生理及遺傳的基礎，但較之身體、語言或認知發展，情緒能力隨著年齡與成熟而進展的情況「格外不明顯」，反而受環境與教養的影響非常大。

年幼的孩子如果未經教導，不如意時就發脾氣或揮拳打人是很常見的舉動，但這種情況長大了就會改善嗎？那可不一定，我們隨處可見許多人終其一生都沒有學會好好管理自己的情緒，年紀再大、學歷再高，無法好好處理自己情緒的一樣大有人在！

在台灣的教育中，多少年來，我們對孩子成功的重視遠遠超過對孩子幸福的關切，因此我們很少花時間教孩子怎麼跟自己相處，怎麼跟別人相處。長期下來，不只父母面對孩子的情緒問題時不知如何處理，甚至父母本身也因為沒受過情緒教育，對自己情緒的理解和處理能力也非常有限。結果在親職教育上，我們不只有處理不完的亂發脾氣的孩子，還要安撫及重新教導與孩子相互糾結、挫折又生氣的父母。

在這種情況下，「我的感覺」系列重新改版上市是格外有意義的一件事，這套書已累銷超過50萬冊，見證了父母帶著孩子學習情緒的珍貴歷程。這套書有很多值得推薦之處，包括每個主題都是孩子最常經歷的情緒、內容完整涵蓋了情緒辨識、情緒表達和情緒調節等主要成分，以及文學性、文字的溫暖度與畫面處理兼具等，原本就是很適合父母與孩子分享及討論情緒的上乘之作；除了優質的文本以外，還加上了應用的教案和情緒遊戲卡，顯然有意再多幫父母老師一點忙。

談情緒從共讀開始

在閱讀這套書時，大人剛開始可以如同一般的繪本與孩子進行共讀，先帶著孩子了解內容，看看故事人物是如何辨認、理解與調節自己的情緒；然後，大人可以仿故事結構所提供的情緒內涵，延伸討論孩子自己的經驗，例如共讀《我好難過》時，可以問問孩子有沒有難過的時候？在什麼情況下會難過？難過的感覺為何？以及難過時要怎麼做才會好過一點？ 接著，如果孩子對這些議題很有感觸或願意投入，還可以利用後面的教案和卡片和孩子玩一些情緒理解或敘說的遊戲，藉以增加孩子情緒語彙的質量、並提昇對情緒的敏銳度。

熟悉了這些內容和方法後，大人可以進一步混搭與應用。例如並不需要限於每本繪本的單一主題，而可以和孩子討論，在這些情緒中，他最常出現的是什麼情緒？很少經歷的又是什麼情緒？由於大人很容易把重點放在負面情緒的調節上，但除了教孩子處理負面情緒，許多時候更重要的其實是如何促進孩子正面的情緒，因此較全面的檢視是很有幫助的。此外，大人也可以從孩子平常的行為中去觀察，孩子發展得較好的是哪些方面？還需要再特別學習的是哪些方面？可以針對孩子特別需要補強的部分多一點的討論和練習。例如有的孩子還在學習用口語表達情緒，這時多一點情緒語彙的教導和情緒經驗敘說會很有幫助；有的孩子則是已經很會表達自己的情緒，但說完了卻仍很難接受安慰或自我調節，這時則可以多讓孩子想想情緒調節的方法，並透過角色扮演等方式來練習。

最後，這套書並不只適用於小小孩，而是在不同的年齡層可以有不同的應用。以情緒的調節策略為例，孩子很容易因為和父母分開而感到不安，但分離焦慮「可以被接受的表現」卻因年齡而異，當一個兩歲的孩子有分離焦慮時，我們可以接受並理解他的哭鬧和需要安撫；但如果一個六歲的孩子因為稍微和父母分開就大哭大鬧，可能會讓人難以接受。因此，孩子要學習的不只是自我情緒的覺察和表達，還需要理解社會的規則和期待，書中提供的內容只是例子，我們還可以和不同年齡的孩子討論，或許情緒感受本身都可以被接納，但當你遇到這樣的情況，什麼樣的表達對現在的你來說才是合適的？這種進一步的覺察和學習，對孩子長遠的發展來說將是更為重要的。

情緒的學習是一生的功課，越早開始，我們距離幸福人生就越近了一步。希望這套書成為大人和孩子一同探索情緒世界的美好開端！

衍伸討論

一起面對嫉妒

吳櫻菁　諮商心理師

嫉妒經常和自私、小心眼聯想在一起，因此大家逐漸不太敢探討這方面的議題。但是往往情緒需要被看見、聽見、感覺、理解，才容易產生內在轉化。嫉妒的情緒還可細分成三種：嫉妒、羨慕與競爭。嫉妒是意識到自己可能面臨失落而產生的情緒；羨慕是希望擁有別人所擁有的特質或財產而產生的感受；競爭則是好勝心的展現，輸贏變得很重要。

這三種情緒都是人際關係互動的產物。人希望自己重要、有價值；但在不確定中，又需靠著擁有、獨佔，證明自己的存在感。透過成人的理解與接納，可以讓孩子學會欣賞勝過擁有、分享勝過獨佔，以及合作勝過競爭的人際智慧。

繪本閱讀的延伸討論

一、多元思考，接納自己的許多可能性

◆如果熊寶寶學著分享爸爸媽媽的愛，她會失去什麼？得到什麼？

◆ 如果熊寶寶學著欣賞別人擁有的玩具或優點，她會失去什麼？得到什麼？

◆如果熊寶寶玩跳棋輸了，她失去什麼？得到什麼？

二、表達心聲、滿足渴望的因應策略

◆熊寶寶提出哪些協助自己不被嫉妒打敗的方法？

◆ 引導兒童思考：「你覺得對你比較有效的是哪一種？你還有自己的獨特妙方嗎？」

◆鼓勵兒童覺得自己被忽略、心中充滿嫉妒時，向父母求救。親子可共同發展求救的訊號，比如：「媽媽，我也需要你陪我玩」、「我有點孤單，忙完弟弟的事，請陪我讀故事書」等。

三、了解孩子嫉妒的感受與經驗，並討論以下問題

◆ 你知道這本書主要在討論哪一種情緒嗎？

◆ 你對哪一頁印象最深刻？為什麼？

◆ 書裡的熊寶寶在哪些情況下會有嫉妒的情緒？

◆ 你可以聯想起和她相似的經驗嗎？說說看那時候的感覺。

四、分享嫉妒，了解彼此真實的需要

◆ 爸爸媽媽與孩子分享自己在家中容易嫉妒的情境。

◆ 每個人進一步分享自己需要被注意及關心的方式。

親子延伸活動

一、自創愛的密碼

請爸爸媽媽常對孩子說：「你是我的好寶貝」，或任何自創的愛的密碼。密碼可以是一句話、一首音樂，或任何可以確定爸爸媽媽對孩子愛的信物或信號。特別是家有其他手足時，每個孩子都會很在意自己在父母心目中的地位。要減少不必要的嫉妒，父母要示範公平的對待方式，不要刻意製造競爭的氣氛。利用機會讓孩子知道自己在父母心中的重要性，增強情感連結，在足夠安全感中，不必要的嫉妒自然會減少。

二、畫中有話

引導孩子試著用藝術媒材表達自己的感覺。引導語：「嫉妒情緒在心裡像什麼？試著用彩色筆（色鉛筆、水彩）畫出來。」請孩子看著完成的作品和爸爸媽媽分享，並鼓勵他分享看到自己心情的感受，從視覺敘述到口語敘述，孩子會對自己的情緒有更真實的擁有感及掌控感。

三、腦筋急轉彎

引導孩子以自由聯想的方式，做「嫉妒像什麼」的短句創作，父母也可加入提示及創作。比如：嫉妒像一把火。可以引導孩子想：「什麼情境下火會變大？」「什麼情境下火會變小？」親子一起分享：「如何不讓嫉妒的火燒傷自己的心，燒傷別人的心？」

四、為情緒找到貼切的名字

爸爸媽媽可以為孩子簡單解釋嫉妒、羨慕、競爭這三種情緒的意義及差異。製作字卡貼紙；重讀繪本，請孩子練習在熊寶寶嫉妒的情境中，區分這三種情緒；或貼字卡貼紙在繪本上。當然，這三種情緒有時還是會有重疊及交互產生的可能性。重點是拓展兒童情緒字眼的豐富性。

此外還可更進一步做造句活動。引導語：「嫉妒、羨慕、競爭(爭輸贏)是三種相似的情緒，但又不太一樣。我們來玩個造句活動，例如：熊寶寶嫉妒……，熊寶寶羨慕……，熊寶寶想贏……」過程中儘量保持遊戲的樂趣，以及傾聽、同理心與接納的態度。

五、舉一反三

請孩子想一個和嫉妒有關的童話故事人（例如：白雪公主的後母、灰姑娘異父異母的姊妹、睡美人中憤怒的仙女、獅子王中的刀疤……等），看看他們在嫉妒時做了什麼事？這些事帶來什麼後果？熊寶寶如果變成老師，他想和這些主角說什麼？

給父母和老師的叮嚀

「嫉妒是刺刺的、熱熱的、很不舒服的感覺。」我們任何一個人可能都會這樣形容這種令人討厭的情緒。嫉妒是一種普遍的感覺，誰都避免不了，即使是動物也會嫉妒（養過寵物的人可以作證）。

我們可能小時候，就聽過嫉妒不好。我們甚至認為，不應該有這種「不好」的感覺，但感覺就是感覺，無所謂好壞，嫉妒也是這樣。就像其他情緒，我們應該承認自己的嫉妒（不一定要向嫉妒的對象承認，而是對其他人），並且管理它。為了幫助孩子處理嫉妒的感覺，我們必須先接受自己的嫉妒。

嫉妒常常產生於我們質疑自己對他人的重要性。我現在這樣可以嗎？我有受到重視嗎？這種疑問會讓大人覺得很焦慮；對於小孩來說，他們全心倚賴的，就是這些問題的肯定答覆，所以他們的焦慮感會更強烈。

因此，如果要把嫉妒的感覺降到最低，我們可以試著不要拿小孩做比較；避免創造某個小孩的「第一」等同於其他小孩的「最後」這種比較情境。我們要珍視每個個體的獨特性和貢獻，讓孩子對自己的基本價值產生信心。

當嫉妒感無可避免的出現時，我們可以確定一件事：既然每個人免不了有這種感覺，那麼大家都應該學習如何在不傷害別人的情況下，好好處理這種情緒。把它說出來，和我們信任的人一起分享，去承受這種感覺，同時明白它終將離去。我們可以提醒孩子：每個人都有自己生存和處事的方法，每個小孩都很獨特、很珍貴。

── 康娜莉雅．史貝蔓

When I Feel Jealous

by Cornelia Maude Spelman and illustrated by Kathy Parkinson
Text copyright © 2003 by Cornelia Maude Spelman
Illustrations copyright © 2003 by Kathy Parkinson
Published by arrangement with Albert Whitman & Company
through Bardon-Chinese Media Agency
Complex Chinese translation copyright © 2005
by CommonWealth Education Media and Publishing Co., Ltd.
ALL RIGHTS RESERVED

我的感覺系列 5

我好嫉妒

作者｜康娜莉雅・史貝蔓　繪者｜凱西・帕金森　譯者｜蕭富元

責任編輯｜劉握瑜　美術設計｜林家蓁　行銷企劃｜高嘉吟

天下雜誌群創辦人｜殷允芃　董事長兼執行長｜何琦瑜
媒體暨產品事業群
總經理｜游玉雪　副總經理｜林彥傑　總編輯｜林欣靜
行銷總監｜林育菁　副總監｜蔡忠琦　版權主任｜何晨瑋、黃微真

出版者｜親子天下股份有限公司
地址｜台北市 104 建國北路一段 96 號 4 樓
電話｜（02）2509-2800　傳真｜（02）2509-2462　網址｜www.parenting.com.tw
讀者服務專線｜（02）2662-0332　週一～週五：09:00~17:30
讀者服務傳真｜（02）2662-6048　客服信箱｜parenting@cw.com.tw
法律顧問｜台英國際商務法律事務所・羅明通律師
製版印刷｜中原造像股份有限公司
總經銷｜大和圖書有限公司　電話：（02）8990-2588

出版日期｜2005 年 9 月第一版第一次印行
2018 年 2 月第三版第一次印行
2024 年 6 月第三版第十二次印行
定價｜260 元　書號｜BKKP0210P　ISBN｜978-957-9095-16-7（精裝）

訂購服務

親子天下 Shopping｜shopping.parenting.com.tw
海外・大量訂購｜parenting@cw.com.tw
書香花園｜台北市建國北路二段 6 巷 11 號　電話（02）2506-1635
劃撥帳號｜50331356　親子天下股份有限公司

立即購買 >